THIS ITEM IS ON SPECIAL LOAN AS A SAMPLE OF WHAT IS AVAILABLE FROM MERTHYR TYDFIL PUBLIC LIBRARY SERVICE.

Whatever you need we can help – with books, audio books, free Internet access, information and much more. Even if you don't live near a branch library you can get access to the full lending collection from our mobile library service – stopping at a street near you!

It's easy to join – you only need to prove who you are.

Look at our website www.libraries.merthyr.gov.uk

MAE'R EITEM HON AR FENTHYCIAD ARBENNIG FEL SAMPL O'R HYN AR GAEL GAN WASANAETH LLYFRGELLOEDD CYHOEDDUS MERTHYR TUDFUL.

Beth bynnag ydych chi angen, fe allwn ni helpu – llyfrau ar dap, mynediad am ddim i'r Rhyngrwyd, gwybodaeth a llawer mwy. Os nad ydych chi'n byw wrth ynyl cangen o'r llyfrgell, fe allech chi gael mynediad at y casgliad llawn sydd ar gael I'w fenthyg trwy ein gwasanaeth llyfrgell symudol – sy'n dod I stryd gyfagos i chi!

Mae'n hawdd ymuno – does dim ond eisiau I chi brofi pwy ydych chi.

Edrychwch ar-lein ar www.libraries.merthyr.gov.uk

Fi Piau Ti

DARLUNIAU GAN Sergio Martinez

MAX LUCADO

ADDASIAD CYMRAEG GAN
ANGHARAD TOMOS

CYHOEDDIADAU'R
GAIR

Fi Piau Ti
Testun ⓗ 2001 gan Max Lucado
Darluniau ⓗ 2001 gan Sergio Martinez
Cyhoeddwyd yn wreiddiol yn 2004 gan
Candle Books/ Lion Hudson plc.
256 Banbury Road, Oxford OX2 7DH
www.lionhudson.com

Cyngor Ysgolion Sul Cymru,
Ysgol Addysg, PCB,
Safle'r Normal,
Bangor, Gwynedd, LL57 2PX

Testun: Angharad Tomos
Golygydd Cyffredinol: Aled Davies
Clawr a chysodi: Ynyr Roberts

Dymuna'r cyhoeddwyr gydnabod cymorth
Adrannau Cyngor Llyfrau Cymru.

ISBN: 1 85994 564 3
Argraffwyd yn Singapore

Hefyd yn y gyfres:
Rwyt ti'n arbennig

ROEDD PWNSHINELO'N byw ym Mhentre Planciau. Fel pob un o'r Planciau, roedd wedi ei naddu o bren. Fel pob un o'r Planciau, fe'i naddwyd gan Eli, y saer Planciau. Ac fel pob un Planc arall, roedd o ambell waith yn gwneud pethau gwirion, 'run fath â'r tro hwnnw pan ddechreuodd gasglu peli a bocsys.

Dechreuodd pethau fynd o chwith pan brynodd Planc o'r enw Tac focs newydd. Roedd gan rai o'r lleill focsys, ond roedd bocs Tac yn un newydd sbon. Roedd Tac wrth ei fodd gyda'r bocs newydd. Credai mai hwnnw oedd y bocs gorau yn y pentref. Roedd yn un hynod o liwgar, ac roedd yn falch iawn ohono – yn rhy falch efallai. Cerddai i fyny ac i lawr y stryd yn dipyn o lanc wrth ddangos ei focs i bawb.

"Welsoch chi fy mocs newydd i?" gofynnai i'r Planciau eraill a welai ar y stryd. "Hoffech chi gyffwrdd fy mocs newydd i?"

Aeth Tac i weld Pwnshinelo, a'i bryfocio:

"Mi hoffet ti focs del fel f'un i, oni hoffet ti?" meddai.

Roedd Pwnshinelo wrth ei fodd efo bocs Tac a dechreuodd feddwl mor braf fyddai cael ei focs bach ei hun.

Doedd dim taw ar Tac. Âi o gwmpas i ddangos ei focs i bawb gan feddwl ei fod o'n well na'r Planciau eraill, dim ond am fod ganddo focs newydd.

Doedd Cainc, un o'r Planciau eraill, ddim yn cytuno. "Mae fy mocs i lawn cystal ag un Tac!" meddai, gan ddangos ei focs i'r Planciau ar yr ochr arall i'r stryd. Doedd bocs Cainc ddim yn newydd, ond roedd o fymryn yn fwy nag un Tac, a fymryn yn fwy lliwgar, ac roedd hyn yn fwy na digon i Tac.

Aeth Tac i'w gragen ac edrych yn gas iawn ar Cainc. Yna cafodd syniad. Aeth i'r siop a phrynu pêl. Nawr roedd ganddo bêl a bocs.

Roedd Cainc yn genfigennus o bêl Tac. Ond gallai o fynd gam ymhellach. Aeth i brynu dwy bêl. Gyda gwên slei ar ei wyneb, dwy bêl a bocs yn ei ddwylo, aeth at Tac a sibrwd, "Nawr, mae gen i fwy na thi!"

Cyn pen dim, roedd Tac yn y siop yn prynu bocs arall. Yna aeth Cainc i brynu pêl arall. Yna prynodd Tac bêl ac roedd yn rhaid i Cainc gael bocs.

Un bocs, un bêl, bocs arall, pêl arall. Tac, Cainc, Cainc, Tac. Ymlaen ac ymlaen; doedd dim diwedd arnyn nhw.

Mi fyddai rhywun wedi gallu stopio'r lol bryd hynny. Yn wir, rhoddodd y Maer gynnig arni. "Peidiwch â bod mor wirion eich dau!" meddai wrth Tac a Cainc. "Beth yw'r ots gan bwy mae'r nifer fwyaf o deganau?"

"Hy! Rydych chi'n llawn cenfigen am nad oes gennych chi ddim," meddent.

"Cenfigennus? Ohonoch chi? Ha! Ha!" Ond cyn pen dim, roedd y Maer wedi mynd i'r siop i brynu llond ei hafflau o focsys a pheli.

Dechreuodd y Planciau eraill gael yr un syniad.

Y bwtsiar a'r pobydd a phob copa walltog. Y meddyg ar ben y stryd a'r deintydd y pen arall. Cyn bo hir, roedd pob un o'r Planciau am y gorau i gasglu mwy o beli a bocsys na'r Planciau eraill.

Roedd rhai bocsys yn fawr, ac eraill yn llachar. Roedd ambell bêl yn drwm ac ambell un yn ysgafn. Roedd pobl dal a phobl fach yn eu cario. Roedd pawb yn eu cario. Ac roedd pob un yn meddwl yn yr un ffordd: mae gan Blanciau da lawer iawn o bethau, a does gan Blanciau salach fawr o ddim.

Pan fyddai un o'r Planciau'n cerdded drwy Bentre Planciau gyda phentwr mawr o beli a bocsys, byddai pobl yn stopio ac yn meddwl, "Mae hwnna'n un o'r Planciau da." Ond pan fyddai un arall o'r Planciau'n mynd heibio heb ddim ond un bocs ac un bêl, byddai'r gweddill yn ysgwyd eu pennau ac yn sibrwd, "Druan ohono! Dyna i chi Blanc truenus!"

Wrth gwrs, doedd Pwnshinelo ddim am i neb feddwl ei fod o'n un truenus, felly dyma fo'n penderfynu cael gymaint o focsys a pheli â phosib. Chwiliodd drwy ei dŷ a dod o hyd i un bêl fechan. Gwthiodd ei ddwylo i waelod ei bocedi a dod o hyd i ddigon o arian i brynu un bocs bach.

"Mi wn i beth wnaf i," meddai. "Mi werthaf fy llyfrau i gael rhagor o arian i brynu bocs arall a phêl arall."

A dyna a wnaeth. Prynodd focs gwyrdd a glas efo llun cymylau ar bob ochr iddo. Ond roedd o'n dal eisiau rhagor.

"Mi weithiaf drwy'r nos i ennill mwy o arian," meddai wrtho'i hun. Dyna a wnaeth, a phrynodd bêl. A gan ei fod yn gweithio drwy'r nos, doedd o ddim angen ei wely, felly dyma fo'n penderfynu ei werthu. Do, wir! Gwerthodd ei wely, a gyda'r arian prynodd ddwy bêl.

Cyn pen dim, roedd gan Pwnshinelo lond ei hafflau o beli. Ond roedd gan y Planciau eraill fwy nag o. Roedd gan ambell un gymaint fel y câi drafferth cerdded. "Mae'n anodd dal gafael ar yr holl focsys a pheli," meddent, gan gymryd arnynt eu bod yn cwyno, ond ffordd slei o frolio oedd hon.

Roedd Pwnshinelo eisiau bod fel y Planciau hyn, felly gwerthodd ragor o'i bethau a gweithio oriau hirach fyth. Roedd ei lygaid yn flinedig oherwydd diffyg cwsg. Roedd ei freichiau'n brifo gan ei fod yn gorfod cario cymaint o bethau. Ni allai gofio y tro diwetha iddo gael cyfle i eistedd a gorffwys. Ac yn waeth na dim, ni allai ei ffrindiau gofio'r tro diwethaf yr aeth Pwnshinelo allan i chwarae.

"Dydyn ni ddim wedi dy weld ers oes pys," meddai Priciau, ei ffrind, un dydd.

"Pam na ddoi di allan i chwarae eto?" gofynnodd Sglodyn, ei ffrind gorau.

Nid pawb oedd yn poeni am focsys a pheli. Doedd ffrindiau Pwnshinelo'n malio'r un botwm corn am y pethau hyn. Ond roedd Pwnshinelo'n poeni mwy am focsys a pheli nag yr oedd am gael ffrindiau.

"Mae gen i waith i'w wneud," meddai wrthynt. A byddai ei ffrindiau yn rhoi ochenaid fawr. Doedd dim ots gan Pwnshinelo. Doedd o ddim ond yn poeni am farn y bobl peli-a-bocsys. Ond beth bynnag a wnâi, roedd o'n methu'n lân â phrynu digon o bethau i ddal eu sylw. Yn y diwedd, cafodd syniad. "Mi werthaf fy nghartre," meddai.

"Dyna syniad gwallgof!" meddai Priciau.

"Ble byddi di'n byw?" gofynnodd Sglodyn.

Doedd gan Pwnshinelo ddim syniad, ond doedd dim ots ganddo.

Yr unig beth ar ei feddwl oedd y bocsys a'r peli a gâi efo'r holl arian. Felly gwerthodd ei dŷ. Prynodd focsys a bocsys, a bocsys a pheli, a mwy o beli a mwy fyth o beli. Roedd yn cario gymaint o bethau fel na allai weld i ble roedd yn mynd. Roedd ei bentwr o bethau'n estyn fry uwch ei ben.

Ond doedd dim gwahaniaeth ganddo. Pa ots os oedd ei freichiau'n flinedig?

Pwy fyddai'n poeni os oedd yn cerdded i mewn i waliau? Pwy fyddai'n colli cwsg am nad oedd ganddo ffrindiau? Roedd ganddo focsys a pheli, a phan fyddai'n mynd heibio i Blanciau eraill, byddent yn troi ac yn dweud, "Rargol! Rhaid bod hwnna'n andros o Blanc da." Clywai Pwnshinelo hwy'n siarad, a deuai teimlad cynnes, braf drosto. Mae'n rhaid fy mod i'n Blanc da, meddyliai wrtho'i hun.

Ond yna daeth tro ar fyd a newidiodd rhywun y rheolau. Gwraig y Maer oedd ar fai. Roedd hi'n hynod falch o'i chasgliad o focsys a pheli. Nid yn unig roedd ganddi lond gwlad ohonynt, ond roedd ganddi hefyd nifer o wahanol fathau. Roedd hi'n eu prynu yn y siopau crand efo enwau ffansi, a gadawai'r enwau ar y bocsys er mwyn i bawb gael eu gweld. Roedd arni hi eisiau bod yn well na'r Planciau eraill – yr orau ohonynt i gyd.

Un dydd, cafodd syniad. "Nid yn unig fi fydd yr un â'r nifer fwyaf, ond fi fydd yr un uchaf."

Felly, dringodd i ben ei phentwr bocsys a gweiddi, "Edrychwch arna i, bawb!"

Dechreuodd yr holl bobl peli-a-bocsys achub y blaen arni. Dringodd un ar ben bwrdd, dringodd un arall ar ben boncyff a dringodd un arall i ben bryn. Ond y Maer ei hun feddyliodd am y mynydd.

Tu draw i Bentre Planciau roedd Pinacl Planciau. “Af i ben y mynydd!” gwaeddodd, yn gobeithio mai fo fyddai’r cyntaf. Ond wrth gwrs, trodd yn ras wrth i’r Planciau geisio gweld pwy fyddai â’r nifer fwyaf a phwy allai ddringo gyflymaf. Dechreuodd pob math o Blanciau ddringo’r mynydd gyda phob math o lwythi.

Roedd hi’n ras gwbl wallgof. Gan na allai’r bobl bren weld i ble roeddent yn mynd, roedden nhw’n taro yn erbyn ei gilydd. Gan eu bod wedi blino’n llwyr, roeddent yn baglu ar draws eu traed eu hunain. Gan fod y llwybr mor gul, disgynnodd ambell un dros yr ochr. Ond roedden nhw’n mynnu dal ati.

Ar gefn y rhes, roedd Pwnshinelo’n bustachu. Roedd yn cael mwy o drafferth na neb arall wrth ddringo. Wedi’r cwbl, dim ond ers ychydig o amser roedd o’n ‘Blanc Da’. Doedd o ddim wedi arfer cario cymaint o focsys a pheli. Ond roedd yn benderfynol. Rhoddai un droed bren o flaen y llall. Ond gan na allai weld, ni wyddai ei fod wrth ochr y llwybr.

A gan na allai weld, ni wyddai ei fod wedi crwydro oddi ar y llwybr. Y cyfan a wyddai oedd ei fod – mwyaf sydyn – ar ei ben ei hun bach. *Mae’n rhaid fy mod i ar y blaen!* meddyliai wrtho’i hun. A daliodd ati i ddringo’n uwch ac yn uwch o hyd. *Rhaid fy mod i’n nesáu at y copa. Rydw i’n Blanc mor dda.*

Fi fydd uchaf a gen i fydd y mwyaf.

Dyna pryd y cydiodd troed Pwnshinelo yn rhywbeth. Ceisiodd ei arbed ei hun rhag syrthio, a siglai ei deganau i'r dde ac i'r chwith. Pwysai Pwnshinelo ymlaen, yna'n ôl, ond ni allai ei rwystro'i hun rhag siglo. Roedd ar fin cael codwm.

Ni wyddai, fodd bynnag, ei fod wedi cerdded ar hyd y llwybr oedd yn arwain at dŷ Eli. Baglodd dros drothwy'r drws a syrthio ar ei drwyn ar lawr gweithdy'r saer.

Pan sylweddolodd lle roedd o, teimlai Pwnshinelo'n annifyr. Am amser maith, arhosodd ar ei wyneb ar y llawr, a'i focsys a'i beli o'i gwmpas. Rholiodd un o'r peli ar draws y llawr a stopio wrth fainc Eli. Dyna pryd y trodd y saer tuag ato.

"Pwnshinelo." Roedd llais Eli'n dawel ac yn garedig.

Ni symudodd y Planc bach. Gallai deimlo ei wyneb bach pren yn gwrido.

"Rwyt ti wedi bod yn cario clamp o lwyth."

Dringodd y Planc bach blinedig ar lin Eli, ond cadwai ei ben yn isel.

"Fy mocsys a'm peli i yw'r rhain," meddai'n dawel.

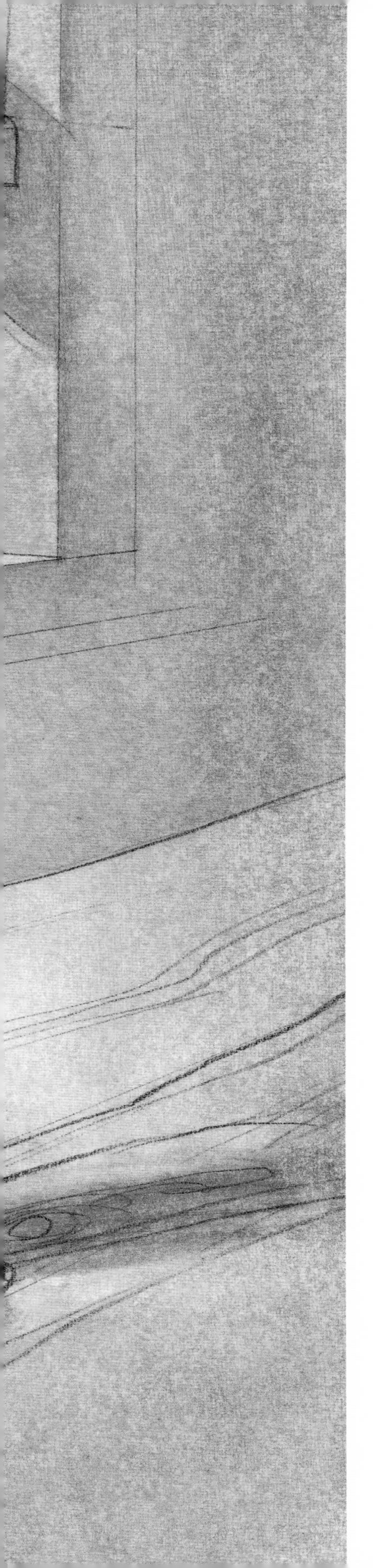

“Fyddi di’n chwarae gyda nhw?” gofynnodd Eli.

Ysgydwodd Pwnshinelo ei ben.

“Wyt ti’n hoffi’r bocsys a’r peli?”

“Wel, dwi’n hoffi’r ffordd maen nhw’n gwneud i mi deimlo.”

“A sut maen nhw’n gwneud i ti deimlo?”

“Dwi’n teimlo’n bwysig,” meddai, gan ddal i siarad yn dawel iawn.

“Mmm,” meddai Eli, “felly rwyt ti wedi bod yn meddwl yn yr un ffordd â’r Planciau eraill. Rwyt ti’n meddwl po fwyaf o bethau sydd gen ti, cymaint gwell a hapusach wyt ti na’r Planciau eraill.”

“Ydw, debyg.”

“Tyrd yma, Pwnshinelo. Rydw i eisiau dangos rhywbeth i ti.”

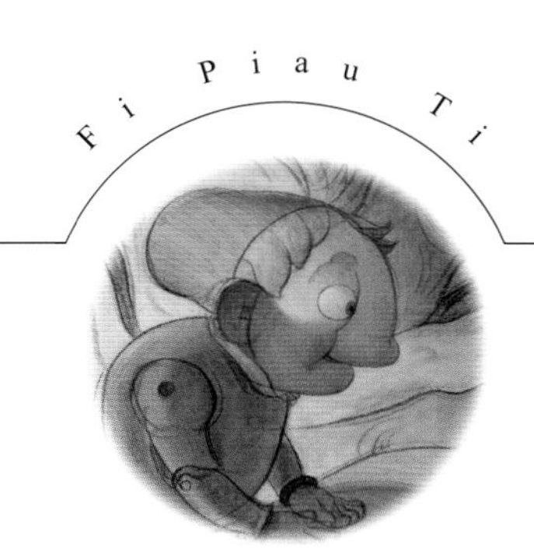

Cododd Pwnshinelo ei ben bach pren ac edrych ar Eli am y tro cyntaf. Roedd yn falch o weld nad oedd yn flin. Dilynodd Pwnshinelo ef at y ffenest.

"Edrycha arnyn nhw," meddai Eli.

Edrychodd Pwnshinelo drwy'r ffenest ar y llu o Blanciau oedd yn dal i ddringo'r mynydd. Roedden nhw'n baglu, yn cwympo, ac yn ymladd yn erbyn ei gilydd.

Roedden nhw hyd yn oed yn camu dros rai eraill i gael mynd yn eu blaenau.

"Ydyn nhw'n edrych yn hapus?" gofynnodd Eli.

Ysgydwodd Pwnshinelo ei ben.

"Ydyn nhw'n edrych yn bwysig?"

"Ddim o gwbl. Maen nhw'n edrych yn reit wirion a dweud y gwir," atebodd Pwnshinelo wrth iddo sylwi ar y Maer a'i wraig. Roedd y Maer ar lawr, a hithau'n camu ar ei gefn. Roedd ganddi focs ar ei phen ac roedd ganddo yntau bêl yn ei geg.

"Wyt ti'n credu 'mod i wedi creu'r Planciau er mwyn iddyn nhw fyhafio fel hyn?" gofynnodd Eli.

"Nac ydw."

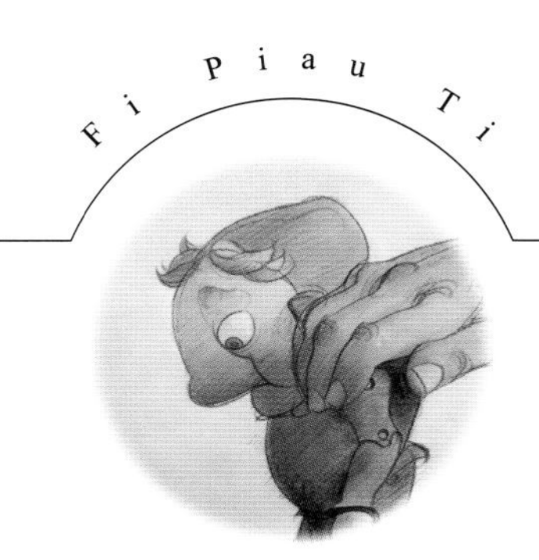

Teimlodd Pwnshinelo law fawr ar ei ysgwydd. “Wyddost ti faint gostiodd y bocsys a’r peli yna i ti?”

“Fy llyfrau a’m gwely. Fy arian a’m cartref.”

“Fy ffrind bach, mi gostion nhw lawer mwy na hynny i ti.”

Roedd Pwnshinelo druan yn ceisio cofio beth arall a werthodd, ond aeth Eli yn ei flaen. “Maen nhw wedi costio dy hapusrwydd. Dwyt ti ddim wedi bod yn hapus, naddo?”

Ochneidiodd Pwnshinelo, “Naddo!”

“Maen nhw wedi costio dy ffrindiau i ti. Ac yn fwy na dim, maen nhw wedi costio dy ymddiriedaeth. Wnest ti ddim ymddiried ynof i i’th wneud yn hapus. Yn hytrach, rhoddaist dy ymddiriedaeth yn y bocsys a’r peli.”

Edrychodd Pwnshinelo ar y pentwr o deganau. Mwyaf sydyn, doedden nhw ddim yn edrych mor werthfawr.

“Rydw i wedi gwneud llanast o bethau.”

“Paid â phoeni,” meddai Eli, “rwyt ti’n dal yn arbennig.”

Trodd Pwnshinelo tuag ato a gwenu.

“Rwyt ti’n arbennig – nid oherwydd yr hyn sydd gen ti. Rwyt ti’n arbennig oherwydd pwy wyt ti. Fi piau ti. Rwy’n dy garu di. Paid ag anghofio hynny, fy ffrind bach.”

"Wnaf i ddim," gwenodd Pwnshinelo. Yna gofynnodd, "Eli?"

"Ie?"

"Beth ddylwn i ei wneud gyda'r holl focsys a pheli?"

"Falle y gallet eu rhoi i rywun sydd eu gwirioneddol angen."

Trodd Pwnshinelo i fynd, ond arhosodd unwaith eto. "Eli?"

"Ie?"

"Does gen i ddim unman i gysgu."

Gwenodd Eli a chynnig, "Hoffet ti gysgu yma heno?"

"Hoffwn wir. Byddwn yn falch iawn. Rydw i wedi ymlâdd yn llwyr."

A'r noson honno, cysgodd Pwnshinelo ar wely o siafins pren. Cysgodd yn drwm drwy'r nos. Roedd yn braf bod yng nghartref ei Greawdwr.